歌集　ブンバップ＊もくじ

IV

V

VI

装幀　森敬太（合同会社　飛ぶ教室）
装画　嘉江

I

六月の火

弟の股を台所で洗う狭さに汗をかいた六月

辛い事あったら墓参りに行く母がいいリズムでうたう唄

六月は霊園の風が強いのでぼくがろうそくへ紙を巻く役

色々なかたちの墓に色々なかたちのお菓子知らない色の

墓石からはなれた場所で野良犬が鐘転がしているがらごろと

母親と散歩をすれば母親のダンロップが洗い立てだと気付く

たくさんの小さなタンポポを摘んで少し大きなヒマワリにした

ぼくは貧乏ぼくの家族も貧乏でだから貧乏なんて気にしない

親指とひとさし指でお金持つ薄くて軽い花びらのよう

貧乏を気にしないけどぼくやぼくの母は貧乏だから頑張る

白い米白くない米混ざってて炊けたお米はきれいなお米

アパートじゃなくて県営住宅で団地の暮らし生活の暮らし
オリックス楽天アコム武富士母は貧乏なので歌を聴いてる

新しく塗り直された棟を歩く　中は変わりがない、つまらない

寝巻着てねむろうとする弟の枕に降りた毒のない蜘蛛

働いてお金を稼ぐ稼いだら友達と遊んでペイしてる

学生の友達とカラオケに行くみんなで知っているヒット曲

レッドブル買って飲んでいる友達僕も黄金のりんごジュース

Z hard（ジハード）という船のうえ旅してる友人たちのダンスはブレイキン

ヘッドスピンずっと回ってヘッドスピン止まらないことが美しい夜

公園の街灯スポットライトみたいと言って怒られている六月

母親の真夜中僕の真昼間の中におんなじ月が出ている

働いて帰ってきたら米を研ぐかっこいい僕のパワー系ムーヴ

水汲めば水の彩度に濁ってくガラスのびんが心臓の朝

明るい貧乏と眩いピンボール。またルイ・ヴィトンが笑う。金曜

ひどい事した父親やひどい事された父親みんな父親

酒・たばこ・ＡＴＭの複合施設一面青でどきどきさせる

父親がコンビニエンスストアから持って帰ってくる生パスタ

信号機レンズが割れて赤くない光が僕に射してくる夢

働いて稼いだ金で買った本休憩時間に五ページ進む

いいのかも、このままここで、にびいろの、自販機として、よをあかしても

朝ごはん足りない人の悲しみはトイザらス限定カラーに

恥ずかしい言葉は恥ずかしくないから恥ずかしいけど大声で言う

チャリンチャリン自転車の音チャリンチャリン働いてお金動かす音だ

ラッパーの友達と会話する僕にタトゥーないけど楽しい会話

ＩＬＬでいる秘訣知ってる友達とモノホンプレイヤーの友達

ともだちがビッチと遊ぶ六月は仔犬には暑すぎる季節だ

ロウソクはらふそくだって教えたら約束だって踏んでくる韻

丁度良くて気に入ってるディッキーズ履く白いコンバースならそれに合う

外人がマニー、マニーって通話口の向こうの人へ伝えたいマニー

手だけど足パイルの生地だけど毛布貧乏だけど貧乏じゃない

母さんは段々街になってゆくいきもの友達は夜勤行く

僕は僕の身体で稼いであなたの為に使う　横にいる僕のために

火曜日の奥に水曜日があって天体知らない僕のムーンウォーク

友達に貸した詩集が帰ってきた付箋で韻を教えてくれた

五円玉落としてみると音がする千円札は少し聴こえる

水かけて水を供える六月の墓　母親は家で寝ている

（静かに）の看板のうえ飛行機が雲を増やして音を効かせて

素晴らしい僕の人生に吐くげろ楽しくて時に出してみる舌（べろ）

やさしい風がやさしく吹いた　蠟燭はフィジカルのまま優しく揺れる

II

キックアウト

可動域がひろがってきてるな肩から　美容師のマッサージからかな

目をとじてきのうの雑務おもい出す移民のニュースを受け入れながら

カラオケの看板あれはB.I.G.(ビー・アイ・ジー) CAT(キャット)が58(ゴッパチ)掲げる構図

景観と保安のためにスケートボードの乗り入れを禁止しています

左手はノーズに添えるだけじゃ駄目おそわった日は指ばかり見た

打ちつけた上半身の痺れぶん街にダメージは入らない

トリックがうまく決まっているように見えた向こうの河川敷では

あのチェーンストアが上陸したころは前の職場で怒られていた
大理石っぽいテクスチャーのタイル　消しカスみたいなグラインド跡

退屈とバイブス

怪物をだいぶ疲れた面持ちの男の人が追い出す映画

業務用コーンフレーク買って食べ切れなかったの良かったなって

夏によく肌に感じるしつこさは湿気のようでさわれなかった

野良犬を見たことがないと言う人と野良犬が居そうな浜へ行く

ＥＤＭに盛り上がるための連打音　団地をどんどん遠ざけながら

国道に出てからもこの四駆はレア　信号の雰囲気がのびてく

海沿いを走ってる　また夏が来たから走ってるんだよなと思う

きのう立ち読みした音楽誌で知った史実話して忘れたさっき

目的地みたいな場所で会話するすこし冷えたし来た道もどる

イートインスペースどこも増えたのでクマが座っている席もある

退屈も vibes だって言う人が僕の友達　Tシャツを干す

使うとき取りだす用に財布とか車の中に仕舞ってるお金

痛そうでした事なくて一生でどこかへしてみたい体当たり

ステロイド系塗布薬で膝裏のかゆみを止める　すくう指　つる

習慣を作りたいけど難しいのでフィジカルと紐づけてする

ファイナンスのテーマソングを子どもたちが歌ってる　bpmがすこし高い

iPhoneの電話機能が作動してバイブレーション機能が続く

エンジンは軽自動車にも付いているブルンブルン動かさなきゃ意味ない

耳朶に穴があいている気がする親指をつかって持ち上げる

馬鹿な色や匂いはなくてそういうのだという台詞だけ在る時間

煙草吸わない僕が銘柄に詳しくなるみたいなの良くなかったのか

立ち眩みの酩酊感が僕に良いこれで立ち止まってると思うこと

この道に出るのかあの角を曲がると　土地の博士になって暮らすと

ビルボードチャートをちゃんと追っている友達とポテトLを終える

窮屈な靴でも・だから デザインが良く履く度に汚れていった

和らげる作用の事を指しながら柔らかく言う議員の笑いじわ

傘を差す人が歩道に立っていて陽が射したので日傘の人に

ボンネットやシートベルトのバックルが光を反射して保つ何か

毎年も掻きたくはない雪の道を思い浮かべて寝転んでいる

海岸を少し離れたあの電話ボックスのなか受話口がある

この海でするチル飽きてきたような気もする　鳥をぜんぶ数える

働くと身体が重くなっていく　お札のためだと告げなきゃ身体に

夕方のニュースが流星群の日を広めててそれを聴きながら寝た

何回も来た事がある部屋のなか友達の服を踏んづけている

二日分濃いヒゲの事を言いたいのに違う話題を挿れてしまいそう

室内に電気のような明るさが要ると思えてカーテンを開けたい

僕ののろい一つ一つのスピードがアクションになって僕を押しだす

開いたら開いた分だけ乾く目を使って月の大きさを言う

別にどこにも行かないって言うのなら戻ってきたって言わないでほしい

ぼくとおれが入り混じってたさっきの僕を細く撫ぜる風が今

ワラジムシ殺した指でワラジムシ拾って包むそういうスキル

商品のレビューに配送クレームが付けられていた本棚を買う

友達の結婚式でラップした日や人たちを思って眠る

教わった巻き方に種類あったこと雲の形に思い出せそう

高速な道路を久しぶりの友達と走る　風　これは気持ち良さ

雑種っぽい野良犬がぽい足取りで進んでる　浮き輪を知らなそう

飛沫って波がスリップしてるだけかもしれないと思う初めて

できるならここでお金を使いたい僕が主体的な動きして

つまんねーって君が言うとき面白いひとりで来た時つまらなかった

バイブスが僕のバイブスになってく　海へ広がる前の夕焼け

ベースボール選手

中等部グラウンドまえを通過して野球選手の声がながれる

外着とか部屋着とかってスウェットを区別していく賃貸の中

きょうは食べきれそうなペースいま水を飲まない人に喰らいついていけ

四時ごろは仕事着をとりこんでいくこれは乾いてるのほうに置く

腹痛がみぞおちらへんでとどまって故障したフリーフォールのすがた

通行を禁止している看板をよこにずらして前へだす足

降る雪にボールが見えづらくなってメジャーリーグがあわてふためく

ふみふみ

空っぽに身体をあけて口の中へ入れやすいのをぽこぽこ入れる

ゴスペルをパーカッションで聴いていたい　むないた　ごりら　空耳つかう

シーズニングつかってガーリックライスを最短距離でつくる計画

画面では猫が布団を均してる　テロップに（ふみふみ）と出ている

いい5分…つなぎ目がわからなかった　喧嘩のおわりみたくあいまい

重い音が低く胸までとどくまで車体にからだを近づけていく

ふぁさふぁさな雀の動画　夕立がきたなら運命と思うテクニック

すたみな太郎を馬鹿にするな　スタミナ　そして太郎よ　スタミナ

夏のよるの長い家路のなかにあるほそい銅線みたいな覚悟

あー　声をだしてみるお腹にひびく感じがあってうー　べつの日に

III

こち亀は警察の職場

ショッピングモールのひだり半分を歩いてなにも触らなかった

こち亀をすこしずつ読むきょう一話読んだら次は明日の一話

誕生日にもらった靴がまだ趣味に合っていなくて大切なまま

肉まんが去年より小ぶりになってる…答えてくれる人たちにtel

この蜘蛛はメンタルの個体だって巣がでかいどんどん広がっている

外国の曲を聴きつづけていると馬鹿にしたってわかるアクセント

びしょ　すべり台は水滴たしかめる雨にふられたあとの立ち回り

踊り場に土鳩の群れがふたつあるどちらかが後からできた群れ

続きが見たい

ため息をつく前いつも目をこするそのまま枕想うのが普通

人を巻く毛布が人のかたちというわけでなく陽が差し込んでいる

市民ホール前に生徒がかためられてこの時期催されうるなにか

僕は冒険の続きが見たかった　グラビア嫌だったいらなかった

チョコレート工場よこは抜け道で夜勤明けの人やあまいにおい

まだあたたかな空間がかけ布団／しき布団のあいだに見つかる

依存症とつきあう人がディベートで負かされていた民放十時

再現映像

父親とパークで滑る少年が少女のうでを引っ張っている

昨日ので背中のすじが痛むまだこの痛いまま踏みこむ勇気

さっきより早く今度は右足を前にだす　こすって　前に　右

きき飽きてみ飽きてたべ飽きたあとで読書の順番がまわってくる

そよ風がページをめくる描写この指でも同じことができるぞ

カワウソとレッサーパンダを引き連れて秋晴れの街へぞろぞろしたい

脱衣所で一首ができて浴槽でもう二首シャワーに消えないように

プラネット・オブ・ザ・エイプス　ぼくのしゃばい flip　映像ここで切れてる

撤退戦

とびだすなキケンぼうやが飛び出ていて猛暑日続けばいいと思った

ドクの kicks やホバーボードの trick　団地で make するシーンあった？

平和賞受賞をしてほしい人の名前が推薦状とか　うそつくな

多分やったやったとおもうお年玉をクラスメイトと言い合う場面

国内版チョコエッグは二層チョコだそうバッグス・バニーが入っていたり

皇室にスノーボードが流行る年　一・二個地元の山おしえるよ

飲みかけのドデカミン　マクフライ家がかつて選択した撤退戦

レーン上カエデの板ころがしたならボウリング場出禁になる事

get in the car. 書かれていても乗ればだめ英語はすべてスラング　花言葉

祖父母たちが父母と異なる教育を孫にしてるのが目尻でわかる

トラップのビートに乗ってあるあるあるを言う芸人が出てくる必ず

あのむく毛ホナホナ感はテリアかもしれない　テリアではないかもしれない

いちばんはカリブの海賊だと言ってそこから4年これからの7年

弟はどこか遠くか近い土地で幸せか不幸せにくらす

映像へカットがかかったその後もスタントマンに火がふれている

IV

描いてある星座

指さきに湿った袖の気配がまだ　陽が沈むまでは干しておくべき

書肆侃侃房
Shoshikankanbou

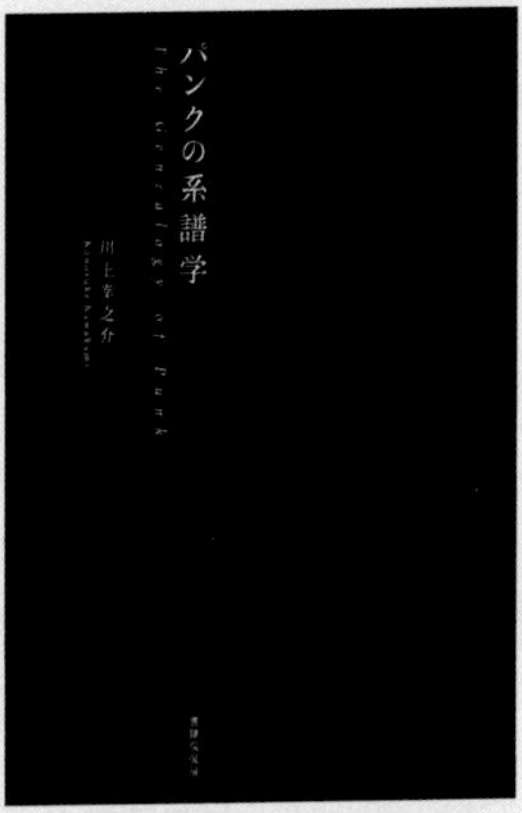

パンクの系譜学

川上幸之介

本体2,600円＋税　978-4-86385-610-3

パンクの抵抗の系譜を辿りつつ、正史の陰に隠れた歴史に光をあてる画期的著作。


Punk!展、ゲリラ・ガールズ展ほか、話題の展示のキュレーションを行う研究者による初単著。

松村圭一郎さん、毛利嘉孝さん推薦！


「日本語でのパンク論の決定版といえる」

（朝日新聞3/28／増田聡さん）

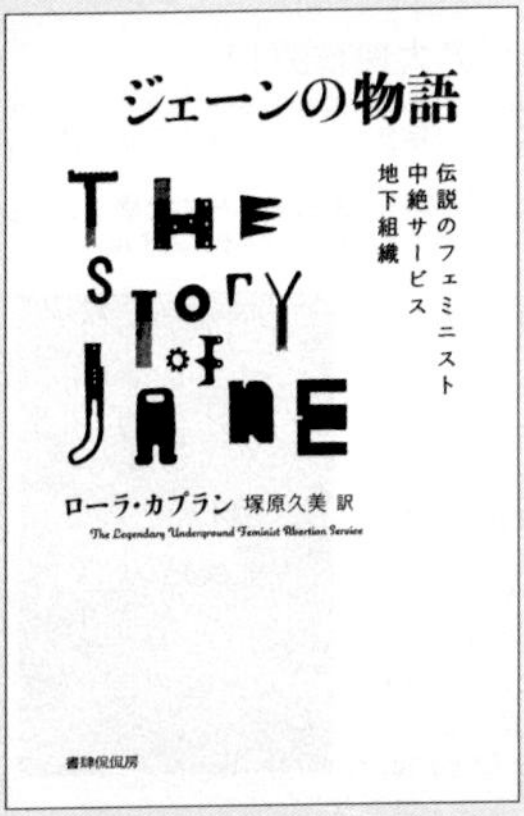

ジェーンの物語

伝説のフェミニスト中絶サービス地下組織

ローラ・カプラン著　塚原久美訳

本体2,500円＋税　978-4-86385-623-3

妊娠して困ってない？
〈ジェーン〉に電話して！
女のからだは女自身のものであり、
女には自らのからだに対する権利がある

中絶が違法だった半世紀前の米国シカゴ。

女たちが女たちを助けようと立ち上がった違法の地下組織〈ジェーン〉。安全な人工妊娠中絶を求め駆け込んだ女性たちの数は推定1万1000人。激動の歴史を赤裸々に描いた衝撃的なノンフィクション。

人殺しは夕方やってきた　マルレーン・ハウスホーファー短篇集

マルレーン・ハウスホーファー著　松永美穂訳

本体2,100円＋税　978-4-86385-621-9

文学ムック「たべるのがおそい」vol.4収録の「さくらんぼ」「雌牛事件」「フォン・ガイエン氏の夜の出逢い」ほか、かなしみにユーモアをまぶした切なく心あたたまる作品集。

大山の中でたった一人、壮絶なサバイバル闘争を繰り広げる女性を描いた長篇小説『壁』で、世界を震撼させたマルレーン・ハウスホーファー。多くのフェミニスト、作家たちに影響を与えた彼女の、知られざる短篇小説名作集がついに邦訳！

死んでから俺にはいろんなことがあった

リカルド・アドルフォ著　木下眞穂訳

本体2,100円＋税　978-4-86385-603-5

ポルトガルの作家が移民の置かれた立場の悲哀を不条理かつユーモラスに描く傑作長編。

郵便配達をしていた俺は故郷の「くに」から逃げてきた。妻のカルラと幼い息子とともに「島」で不法滞在している。買い物をした帰りに乗っていた地下鉄が故障し、右も左もわからない場所で降ろされた一家。なんとか家にたどり着こうと画策するが、すべてが裏目に出て――。周囲から存在を認められず、無視され続ける移民の親子は、果たしてどうなるのか？

ピロスマニ　放浪の画家と百万本の薔薇

ギオルギ・ガメズ著　児島康宏訳

本体2,000円＋税　978-4-86385-620-2

私の絵はジョージアには必要ない　なぜならピロスマニがいるからだ――パブロ・ピカソ
ティムラズ・レジャバ駐日ジョージア大使推薦！！

ピカソが絶賛し、ジョージアでは国民的人気を誇る放浪の画家ピロスマニ。彼がモデルとなった名曲「百万本のバラ」は歌手・加藤登紀子によって日本でも大ヒット、現在も歌い続けられている。
女優マルガリータとの運命的な出会いと失恋、別れ。失意のうちに世捨て人として孤独に人生を終えたピロスマニの人生が甦る感動のグラフィックノベル。

含羞の画家オチ・オサム―美術集団「九州派」の先駆者―

越智順子、片山恭一

本体2,000円＋税　978-4-86385-615-8

オチ・オサムの球体と桜井孝身の眼　きらめく感性と天才的発想
二人のきずなが世界の「九州派」（1950～60年代）へと導いた。

福岡を拠点とする前衛美術集団「九州派」の主要メンバーオチ・オサム（桜井孝身と共に主導）。地方から東京に打って出るというその激しく熱い活動の原点はどこにあったのか。オチ・オサムの伴走者であり同時代を鋭くみつめた越智順子の、知られざるオチ・オサム像と、長年ことばを交しあった思想家・森崎茂（2023年1月没）を通して語る片山恭一によるオチ・オサム論。

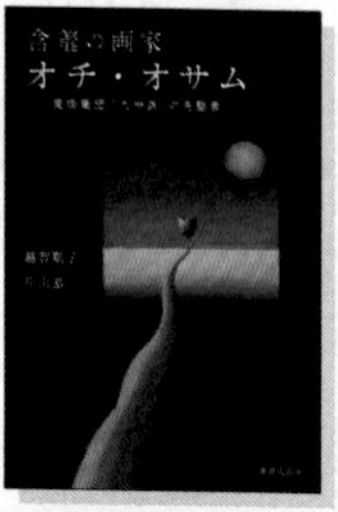